Sudoku

ARCTURUS

ARCTURUS

© 2017 Arcturus Holdings Limited
Puzzles copyright © Puzzle Press Ltd

ISBN: 978-1-78599-970-3
AD005567NT

Printed in China

2   4   6   8   10 9   7   5   3   1

Contents

How to Solve Sudoku Puzzles

Each sudoku puzzle begins with a grid in which some of the numbers are already in place:

	9	6			8		3	
		1		4	2			
5						8	1	9
4		7	1	2				3
		8	7		6	5		
2				9	4	6		1
8	7	2						5
			3	5		1		
	3		2			4	6	

You need to study the grid in order to decide where other numbers might fit. The numbers used in a sudoku puzzle are 1, 2, 3, 4, 5, 6, 7, 8 and 9 (0 is never used).

For example, in the top left box the number cannot be 9, 6, 8 or 3 (these numbers are already in the top row); nor can it be 5, 4 or 2 (these numbers are already in the far left column); nor can it be 1 (this number is already in the top left box of nine squares), so the number in the top left square is 7, since that is the only possible remaining number.

A completed puzzle is one where every row, every column and every box contains nine different numbers, as shown below:

Column

Row →

Box →

7	9	6	5	1	8	2	3	4
3	8	1	9	4	2	7	5	6
5	2	4	6	7	3	8	1	9
4	6	7	1	2	5	9	8	3
9	1	8	7	3	6	5	4	2
2	5	3	8	9	4	6	7	1
8	7	2	4	6	1	3	9	5
6	4	9	3	5	7	1	2	8
1	3	5	2	8	9	4	6	7

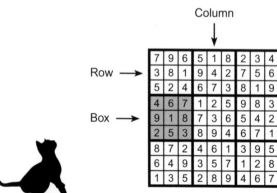

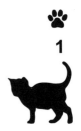

1

9		7		4	8			6
			1			9	8	7
3	5		6		7		2	
	9			7		4		1
	6		4	3	2		9	
8		3		1			7	
	8		3		4		1	5
1	3	6			5			
4			9	2		8		3

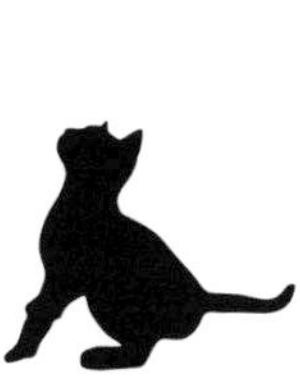

2

2		8	1		4			6
	7		5	8		1		4
6			3		2	7		
	8			4	1		5	
1	4			6			3	2
	9		2	5			4	
		1	6		5			9
4		7		1	9		6	
5			4		7	2		8

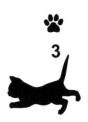

3

	1				4		7	8
2				3	9	4		5
4	9	5	6				1	
6		3		4			5	
	5		3	8	1		2	
	4			6		8		9
	3				7	2	8	6
8		9	5	1				3
7	6		8				9	

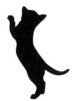

4

4			2	6	3			1
	7	2		8			4	5
1		9					8	
8					9	5	1	3
		4	3	7	2	9		
6	9	3	8					7
	4					1		9
7	8			9		2	3	
9			5	2	4			6

5

1	9				5	4		2
	2			3	6		5	8
6			4		2		3	
		2		8	3	1		
9		7		4		8		3
		8	9	2		6		
	5		7		9			4
8	3		2	1			7	
4		6	3				1	9

6

1		9			7		2	8
7		3		4			9	
	6	4		2	5			1
5					6	1		
3	9		2	5	4		6	7
		8	7					3
4			5	8		9	7	
	1			7		3		4
2	8		4			5		6

7

4	3		6		8	9		5
		2		5	7			4
	6	9	2				7	
6	9	1	8	3				
		4		7		2		
				9	5	6	1	8
	1				4	7	8	
3			7	6		1		
2		5	3		1		9	6

8

7		4		5	6	1		3
	9		2			7	8	5
1		2		7			9	
	6		3	4				
3	2			6			4	8
				8	9		6	
	3			9		4		7
5	7	6			1		3	
8		9	5	3		2		6

9

2	8					5		3
			2	6	4		7	
	1	7		8			9	4
7	5	2	3			8		
3			4	9	2			1
		9			8	6	3	2
4	2			3		9	8	
	9		1	4	7			
5		3					1	6

13

10

2		7	4		1			5
				5	7	2		3
9		8			3	1		
	1			2	5		8	9
	6	9		4		5	2	
8	2		9	1			7	
		4	5			9		8
5		2	1	8				
3			6		9	4		2

11

		3			4		5	
2	8				6		1	4
4			7	1	3			9
		5			9		7	
1	4						3	5
	2		3			6		
3			2	5	7			8
8	6		4				9	7
	7		9			2		

12

		8	2	4		7		1
	3				1			4
		1			7		9	5
	7	3		6				8
	9		3		5		6	
5				9		1	2	
3	4		5			8		
2			9				7	
7		6		2	3	5		

13

	4			7		2		
		8	1		9			4
3		9	5		6			8
2			8			9	5	
1				6				3
	3	7			4			6
7			6		5	4		1
4			2		3	5		
		3		1			8	

14

6			9		8		5	
5	2		6		1		3	
		4		2				9
7		6			4		8	
	9			1			2	
	1		5			9		3
8				3		5		
	4		1		6		9	7
	5		7		2			4

15

9			8	6			3	
		5	3			7		2
3	4	8			1			
1	6			3		4		
		4	5		6	9		
		3		1			2	8
			7			2	9	1
7		1			2	8		
	8			5	4			6

16

					2		7	
3		7		9		5		1
4	8		1	5				3
5	6	1	7			8		
		2				9		
		8			6	7	5	4
6				7	8		2	9
8		3		2		6		5
	1		4					

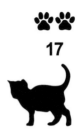

17

		4	5		3			7
7			9			8		3
2		9	1	8				
	2		3	1			6	
3	5						2	9
	1			2	9		8	
				9	6	4		2
8		3			4			1
6			7		1	9		

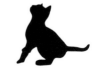

18

		8	3				9	
5		3		8	4			7
	1	6	5					3
		7		2			5	9
	2		6		9		1	
3	4			1		6		
7					6	9	8	
6			9	4		5		2
	5				1	4		

19

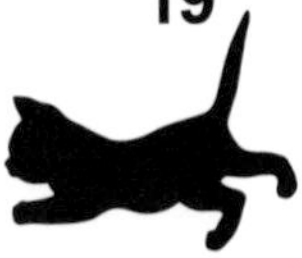

3	9	6				1		
8			9				5	2
			8	1			4	
		9		7	5	4	2	
	6		3		2		1	
	3	5	4	9		8		
	4			5	9			
7	2				6			8
		1				7	6	4

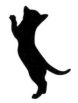

20

				4	6		9	
1	2	3				4		
6					2		7	5
	1	7		2	9	6		
	3		5		1		4	
		2	7	8		9	5	
8	5		3					6
		4				8	3	9
	9		2	7				

21

	3	2	1					8
	5		7			6		
4	6			5	3			1
3		6		4			8	
		7	3		1	4		
	1			7		5		9
8			5	2			9	6
		3			9		2	
9					6	7	1	

22

	9		4					1
4		1	6			8		3
		8	9	5	1	7		
	3		7					9
7		5				2		6
1					4		5	
		4	1	2	7	6		
2		6			3	9		8
5					6		7	

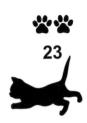

23

8				4				1
	9	3	1		6	2	4	
	1		7		5		9	
2			5	1	8			4
	6	1				5	7	
5			6	7	4			2
	8		4		1		5	
	5	7	3		2	4	8	
3				5				9

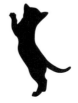

24

				3	5	4		1
8		3			4			9
9			8		7	6		
	3		4	1			5	
4	1						7	8
	2			5	8		1	
		4	5		9			2
5			6			8		3
1		6	2	4				

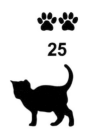

25

			8	9	2			
7		1					8	
	6	9		7			5	4
4					5	6	7	3
		7	9		6	8		
6	1	2	7					5
2	8			5		9	4	
	5					7		1
			6	3	9			

26

			1	4	3			
9		4		8			7	5
	8	6						1
	7				5	9	2	8
		8	4		9	1		
6	9	3	8				5	
5						8	6	
1	3			5		4		7
			9	2	4			

27

		7		3		8		
3		5		6		7		4
	4		7		8		1	
1		8	5		7	2		3
	3		1		6		7	
7		9	3		2	1		6
	9		8		3		5	
5		3		2		4		1
		6		1		9		

28

	8			1			5	
7		9	5		2	1		4
		5	3		6	9		
	6		2	3	1		4	
5		2				3		6
	4		6	5	8		1	
		8	1		5	6		
3		6	7		4	8		1
	7			6			9	

29

	7	3	9	1		5		
6	2				3	7		
	1				7			4
	5			8		4		3
8			4		2			6
9		7		6			2	
3			6				9	
		5	2				4	1
		2		9	4	8	3	

30

	3	7			1		8	
	8		3		6	4		
				7	5	1	9	
7			1	9				5
9	1						3	6
2				5	3			9
	9	4	2	1				
		1	5		8		2	
	5		4			3	7	

34

31

		7			5		9	6
		2	4	3		5		7
	1				7			3
	5	1		8				2
	9		1		6		8	
6				9		7	4	
4			9				5	
5		8		4	1	6		
1	3		6			2		

32

		6	5	7			3	
					9	2	1	4
1	9		4					6
	1	3		8				5
5			3		7			2
8				1		4	6	
7					8		4	9
6	8	5	1					
	2			3	6	8		

36

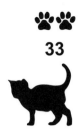

33

	3	5			2		1	
	8		9			5		4
		2	1	4				6
3	5	7		8	9			
		6				2		
			4	5		3	7	9
8				3	1	7		
2		4			8		5	
	7		6			1	9	

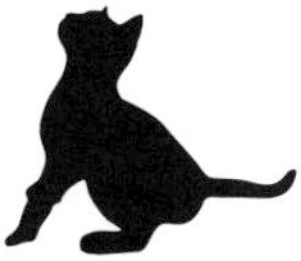

34

	6				5	8	9	
				7	6	4		
3	1	5						7
8		1		5	4			6
		3	9		1	7		
5			8	2		9		4
7						3	4	2
		4	5	8				
	2	9	3				6	

35

	7		2		6		8	
6	2							3
	9		3	8		2		1
9		5	1	3				
		1	7		5	8		
				4	2	6		5
3		2		9	4		5	
7							4	6
	8		5		1		9	

36

3	8			4			2	7
					1	3		
	9	6	2	7			8	
2	7	5	3					6
1								4
6					5	7	9	3
	5			3	6	1	4	
		2	9					
8	6			1			7	5

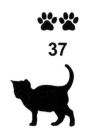

37

	2	9		4				5
	6	5					8	7
1		4		7	3			
	3				1	6		
5	9		7		4		2	1
		8	2				9	
			3	8		5		2
8	7					3	1	
6				2		9	4	

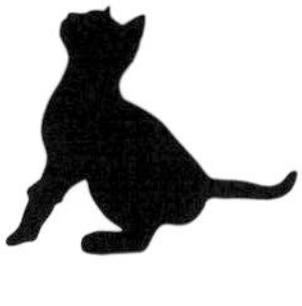

38

	1	2	9					7
		4	7				6	
9		7		4	5			3
		3		8			9	6
	8		2		6		1	
7	5			1		2		
2			6	5		9		8
	9				1	5		
3					2	6	4	

39

7			3		5			9
	1	6		4		5	7	
		9		1		8		
	8	1	5		4	9	2	
2			1		8			5
	5	4	7		2	3	1	
		3		5		2		
	6	2		8		7	5	
1			2		3			6

40

		3		5		7		
7		2	6			1		4
	4	8			2	5	3	
				3	4		7	9
6								1
5	9		1	8				
	8	6	9			2	1	
2		5			7	9		8
		9		2		3		

41

		9				8		
	8		3		9		5	
4			8		6			2
	3	7	9		1	2	4	
	1	2	5		7	9	3	
7			1		8			3
	6		2		4		7	
		5				6		

42

	1						6	
4			7		3			8
		8	9		2	1		
	5	4	6		8	7	9	
	9	2	5		7	4	8	
		6	4		5	3		
9			3		1			2
	3						5	

43

		7				3		
		4	7		6	8		
9	5			2			1	6
	1			9			3	
			4		2			
	3			7			8	
5	8			4			6	7
		1	5		9	2		
		3				9		

44

		7		2		8		
4			9		3			7
	2		6		1		5	
8		2				1		5
	5						3	
3		9				7		6
	7		3		4		2	
5			2		7			9
		4		1		6		

45

	9		5		4		7	
	5	7				2	6	
		8				1		
7			8	2	3			1
5			4	1	6			9
		5				9		
	8	3				6	5	
	2		9		7		3	

46

1		8				7		9
	2						4	
	3		8		1		2	
2				9				7
	9		7		4		6	
4				6				5
	5		3		8		1	
	7						5	
6		4				8		3

47

8	1			9	4			
					6	3		
	7							
1		8	3			7		
	9			8			2	
		6			5	8		3
							8	
		5	4					
			8	2			9	1

48

		9						
1		5	7	6				
			8				3	
5	1				3		9	
		6		1		4		
	8		2				1	3
	2				7			
				4	1	6		5
						1		

49

	4						7	
1			7		8			5
		6	1		2	9		
	8		3	5	1		6	
		5				3		
	1		6	2	9		8	
		4	5		6	2		
8			2		3			7
	2						9	

50

		7				8		
	3	1		5		7	2	
	9		2		7		1	
			5		2			
		2				4		
			8		1			
	5		4		3		9	
	8	9		1		2	6	
		4				3		

51

				5	6			7
7	4	3		1				5
			4					2
	1					6		
9		8				2		4
		6					7	
1					9			
5				2		3	9	6
6			7	8				

52

			3		7		1	4
				6		7		
			4				6	8
7	1		6		5		2	3
		8				1		
3	4		9		1		8	5
9	3				4			
		1		3				
2	8		7		9			

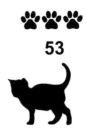

53

3								2
		9	2		5	8		
	1		4		7		6	
6	9		7		2		3	1
1	4		9		8		5	7
	8		3		4		2	
		1	5		9	6		
5								4

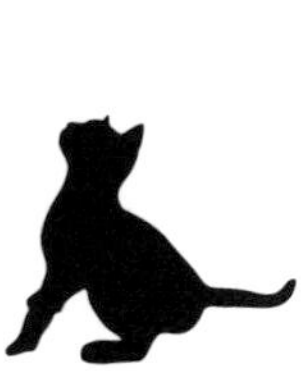

54

		8	5		1	4		
				2				
7			8		6			5
4		1	6		9	5		7
	8			3			2	
9		6	7		2	1		4
6			9		3			1
				6				
		9	2		5	3		

55

9		4				6		1
	3						5	
	8		9		4		3	
		3		6		1		
	6		1		5		7	
		5		7		2		
	2		8		9		4	
	1						2	
5		7				8		9

56

6	9	8		5		7		
			9			4		
				7	1	8		
1							8	
2		3				9		4
	5							1
		1	8	2				
		5			3			
		7		4		1	3	6

57

9			7		1			2
1		3				5		7
	2						8	
		6		8		1		
7			4		2			3
		1		5		4		
	1						5	
6		9				3		4
5			1		4			6

58

		4	9			2		
8	6							
5	3			4				
					1	8	7	
	4			5			3	
	5	7	2					
				3			6	9
							5	8
		1			8	3		

59

		8				7		
	7		5		1		3	
3			9		4			2
	2	3	4		6	1	5	
	4	1	3		8	6	2	
5			7		9			1
	9		6		2		8	
		6				9		

60

	4		7	5	6		1	
	2	3	1		4	8	7	
4	5		2		1		8	7
2								5
6	8		9		5		3	1
	6	2	4		9	1	5	
	1		5	6	7		2	

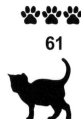

61

				2			8	
			8		7	2		3
			1		3	9		6
		1	4		8	6		7
	5						3	
7		3	5		6	1		
2		7	3		4			
5		8	9		2			
	1			8				

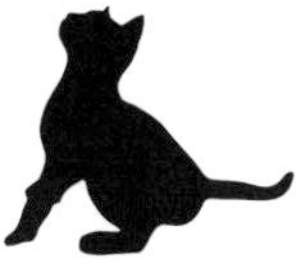

62

			4	2	9			
		8				2		
	4	2	3		1	9	6	
	9	4	6		3	7	5	
	3						9	
	5	6	2		7	4	3	
	6	5	1		8	3	2	
		1				6		
			5	3	6			

63

			7			8		
7	6	3		9		5		
				5	1	3		
	1							3
	2	4				7	8	
9							1	
		1	3	2				
		5		8		1	6	4
		9			4			

64

		2				1		
5			7		6			8
	9		3		2		4	
3		7	9		4	8		6
1		8	2		7	5		4
	5		4		3		8	
2			6		1			9
		6				3		

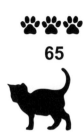

65

	2		4	9	6		5	
5	4		8		1		9	2
	7	5	1		4	9	3	
		4				2		
	3	6	2		5	8	4	
3	6		5		8		2	7
	5		6	4	9		8	

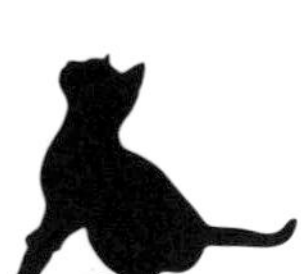

66

2			8		6			3
	9			2			5	
		3	7		5	9		
9	3						1	8
		1				5		
5	8						4	7
		4	9		1	6		
	5			8			2	
7			4		2			9

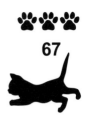

67

2				8				3
			9	4	1			
9	8		2		3		6	4
	6						8	
3								2
	5						7	
7	9		3		6		1	8
			8	7	5			
6				1				5

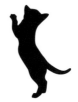

68

4		2	8	1		6		5
			2	6				
	8							
8				9			3	
3			7		6			4
	6			4				8
							7	
				2	9			
1		9		7	5	4		3

69

7								4
	4		9		1		2	
		6	4		3	8		
8			1	4	7			5
	3						9	
1			3	9	5			8
		9	6		8	5		
	7		5		4		1	
6								2

70

					5	7			6
3	5						9	
1	2				9		4	
			9					4
2		9				8		1
8					3			
	8		3				1	5
	9						8	7
7			5	9				

71

		2	3					
		8		1		6	3	9
		4		9	8			
	3							1
	7	9				5	6	
2							8	
			8	7		4		
5	8	6		2		3		
					5	1		

72

7					2			
	4		7	8			6	
	1						3	
	7	1		5				
	6	2	3		4	1	5	
				2		3	9	
	2						4	
	9			4	7		8	
			8					5

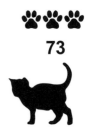

73

5		1		4		9		2
2	8						6	7
	2		3		1		4	
3								8
	5		2		8		9	
9	6						3	1
8		5		2		4		6

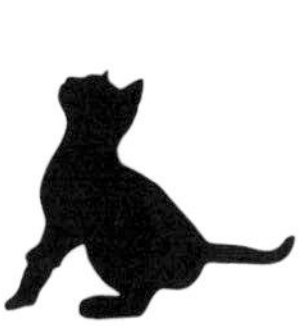

74

9								3
	8		9		3		1	
		1		5		6		
8		5	7		6	3		2
			5		8			
7		6	3		4	8		9
		8		7		4		
	4		6		9		2	
2								5

75

7				1	6			
4				2		8	6	5
9			8					
		9					4	
8	5						1	3
	6					2		
					4			2
5	4	3		9				6
			6	3				7

79

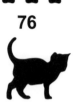

76

								1
		6	5					
			4	8			7	3
		1			6	7	3	
9				7				8
	6	7	2			5		
8	3			9	7			
					4	2		
7								

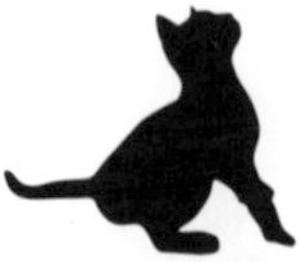

77

2				7	4	8		
4		9		5				
			6				7	
	6		1					
5				9				3
					7		2	
	1				8			
				3		4		5
		3	5	1				9

78

1		2		4		8		5
	7						1	
3			5		1			2
		4		6		1		
			9		8			
		1		7		6		
8			1		6			3
	9						8	
4		7		3		5		6

79

	4	1				5	9	
3				5	1	6	7	
				9				
					4	8		6
6								4
7		4	8					
				4				
	8	5	9	2				7
	6	2				9	4	

80

	6			3			4	
		4	9		5	7		
1			2		8			3
	4	2				5	9	
5								1
	8	1				6	3	
3			5		7			4
		9	3		4	1		
	2			8			7	

81

6	2			9			3	5
4								8
	7		4		8		6	
			2		9			
5								4
			7		5			
	6		5		1		9	
1								2
9	8			7			5	1

82

		9	6		5	3		
3								2
	8			1			9	
1	5		9		7		8	6
			8		2			
8	2		5		1		7	3
	4			2			5	
6								7
		8	7		6	4		

83

4	7	6		3			5	
			5	6			8	
					4		9	
		3						4
7	1						6	2
5						9		
	3		1					
	8			2	5			
	4			9		1	7	5

84

2		6		3		8		9
	7						2	
4			2		9			6
		3		1		2		
			8		5			
		2		7		1		
8			1		2			4
	5						8	
3		7		4		9		1

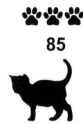

85

	7	4		1	5			
					9			8
	5							
5		3	8					6
	1			5			7	
2					3	4		5
							2	
3			6					
			9	7		5	4	

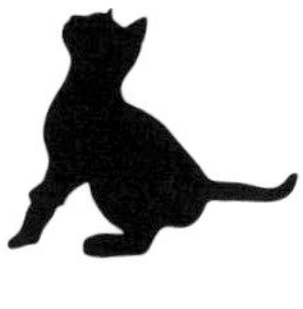

86

					1		9	
		5	9	3		2		
		8				7		
				6		9		7
7		6	8		2	5		1
8		4		1				
		2				1		
		3		2	9	4		
	6		3					

87

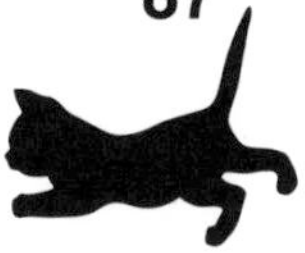

	6						9	
1			9		6			8
		2		7		1		
	9	8	6		4	2	5	
			7		8			
	3	6	5		2	7	8	
		4		5		8		
3			2		9			4
	7						3	

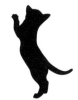

88

5	7			9			6	1
1			8		7			4
7		8				2		9
	2	5				3	4	
9		4				1		6
2			5		4			7
4	8			6			9	3

89

7			2		9			6
		1				8		
	4		1		5		3	
5		9	3		4	6		2
8		6	9		1	7		3
	7		5		3		6	
		2				5		
1			8		2			4

90

	7		1		4		6	
	9						1	
4		3		8		2		5
		9		5		3		
			6		8			
		7		1		9		
1		4		6		7		2
	5						9	
	8		2		5		3	

91

			4	3	6			
6		4	9		1	3		8
		9				6		
4		6	8		7	5		3
3								2
2		5	6		3	7		4
		1				8		
5		8	3		9	2		6
			5	8	2			

92

4		3		2				
			3		8		5	
9			5					
3	6				5			
2				3				4
			1				7	6
					9			3
	1		7		3			
				4		8		9

93

9			3				6	5
	4	2						9
	3		9			7		
			8				5	
		1				8		
	6				3			
		3			6		1	
7						2	9	
5	1				7			4

94

		7				3		
		6	3		8	9		
4	8			2			1	5
7				1				4
			9		2			
6				3				7
8	3			9			5	6
		2	5		1	4		
		1				7		

95

					8			4
	1		2	4		7		
	2	3		5				
			4					1
	5			3			6	
8					9			
				6		2	5	
		6		9	5		3	
9			7					

96

		5	9		7	4		
9	1			3			6	2
		8				7		
	8			2			1	
			3		4			
	5			7			8	
		2				8		
7	9			4			5	6
		3	2		6	1		

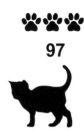

97

7		6		3		2		4
		5	1		4	6		
	6	7				3	5	
5	9						2	8
	8	3				4	1	
		4	2		5	8		
3		9		7		5		1

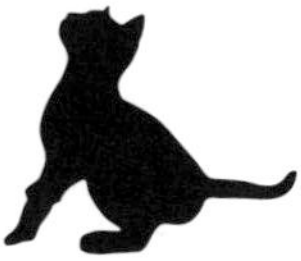

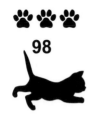

98

	3			4	7			
	4			5		2	3	8
	1		2					
		3						7
1	2						6	9
7						5		
					6		5	
8	7	6		1			4	
			3	9			7	

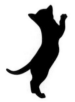

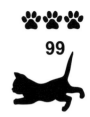

99

	1	7						
3			8					5
	2	9	1	3				
					5			7
	3			1			2	
6			4					
				2	8	1	9	
4					7			2
						7	6	

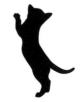

100

		4	8		9	2		
	1						3	
	5	7				8	4	
1			3	5	6			4
2			9	1	7			8
	7	8				3	6	
	2						8	
		6	2		4	5		

101

	6						5	7
2				1		4		
8		4	3				1	
			4			3	7	
	4	6			9			
	3				5	1		6
		7		9				2
6	5						8	

102

6		2	5		7	8		3
7			9	4	6			5
8	7		4		1		9	2
	4						3	
2	6		7		3		5	4
3			6	9	4			7
4		7	1		5	3		9

103

3			4	6	5			7
6		7	8		2	3		5
9	6		5		8		3	1
	7						5	
5	2		3		7		4	9
7		1	2		3	9		4
2			6	5	4			3

104

			3	1	7			
3	6		4		5		7	1
1								8
9	2		5		6		3	7
	3						5	
7	5		9		1		2	6
6								4
5	1		8		4		6	2
			6	5	2			

105

3				1				4
	8		9		5		6	
		9	2		4	5		
5	3						2	8
		2				6		
1	6						7	9
		6	3		1	9		
	5		8		2		4	
7				9				5

106

4	6		7	1		5		
1	3						2	7
				2				
					2	3		6
		3				2		
2		5	6					
				7				
8	2						7	4
		9		4	8		5	3

107

		8	9		6	7		
5	2			4			3	6
		9				1		
	1			9			7	
			8		4			
	3			5			1	
		1				5		
2	7			8			6	9
		3	2		5	4		

108

	9						3	
	2	7				8	5	
		5	1		8	4		
9			6	2	3			5
4			7	9	1			8
		6	5		4	2		
	7	8				3	6	
	4						8	

109

	9		3					
		1		6			8	
6	4		7					5
					4	8	5	
8								6
	2	9	1					
1					7		2	8
	3			5		4		
					2		1	

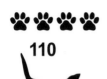

110

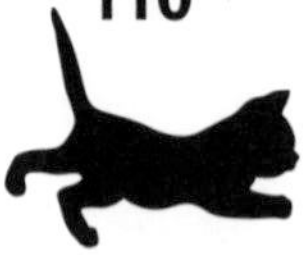

	6				2	5		
5			9				3	1
					4	6		
				2	6		7	8
8	5		4	3				
		8	2					
3	4				9			2
		5	8				4	

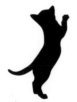

111

	7	4						
3					7			4
2					4	9		
	1	7			2			8
			1		3			
8			9			1	2	
		2	6					3
1			7					5
						4	9	

112

4				1			9	
3		2						8
		7	5					
	2			9			1	
			7		5			
	5			3			6	
					7	9		
1						3		2
	9			8				4

113

9	4		2				3	
		7			8			
		3			1			7
			8	9			5	3
6	5			1	7			
8			5			3		
			1			5		
	1				2		9	8

114

	7							9
9				4			6	1
		5			3			
		9	5		2			
2				6				4
			4		8	3		
			7			8		
4	1			2				3
6							2	

115

	4		1					
3		2	8				1	
1				9				8
					2	6		7
	8						9	
7		3	4					
2				1				9
	6				3	5		4
					5		2	

116

							8	3
		9	6		3			
1						7		4
	8			6				
		2	4		9	1		
			8				6	
3		7						2
			5		1	9		
4	9							

117

	6	7		5			3	
					8			4
	3					1		
8			5		9			
	5			7			2	
			4		2			3
		2					7	
9			1					
	8			2		6	5	

118

5	9				6			
								6
2			7	9				
	3			6		4		
	8		2		9		6	
		7		1			3	
				8	1			5
8								
			5				4	2

119

2				4		9		8
	7		3					
		1						2
			5		4		3	
6				9				4
	2		6		7			
9						6		
					1		5	
4		8		6				3

120

		4		2			8	
7					1			
6		9				3		
	6			8			2	
			1		7			
	1			9			5	
		2				6		9
			7					8
	8			3		4		

121

		4					1	
			5					3
	7	6		1		8		
			6		3			8
		1		4		6		
9			2		1			
		9		6		7	4	
2					8			
	5					9		

122

		3	7				8	5
			5			6		
	6			9			2	
			6				1	3
		4				2		
7	1				8			
	9			2			4	
		8			9			
6	7				4	9		

123

				2	5			6
	5						1	
	8	9	1		4			2
					6	3		1
	6						7	
4		5	7					
7			3		9	5	6	
	4						8	
9			5	4				

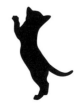

124

		5	8					
	4			7			9	6
7							2	
		4	9		5			
	9			2			7	
			1		7	3		
	3							8
2	6			9			3	
					4	1		

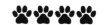

125

5			7			4		
	6				8		3	
3	2				6	7		
							9	1
		5				6		
8	4							
		6	4				7	9
	7		8				2	
		3			5			4

126

6				7		4		
	7	8			9		5	
		2			3			
2		1			6			
	4						7	
			8			5		4
			1			6		
	6		9			1	4	
		3		5				8

127

		5		7	9			
7	2	3						
8			5		3			
		4		5	2			
	3						1	
			7	4		6		
			1		6			7
						5	9	2
			9	8		1		

128

			9	6	8			
					1			
3						5		
5	2							
9				7				4
							1	6
		6						8
			5					
			2	4	3			

129

9				3				2
	5			2		3		
	3				9			4
		1			4	7		
			9		8			
		9	5			6		
5			2				4	
		7		4			3	
1				5				6

130

				9			3	
		5			6			
		9						8
		2				5		
8				7				1
		4				6		
9						4		
			5			2		
	7			1				

131

5	9			2				
			4			6	5	
8				1		9		
					1	7		
2				9				5
		3	6					
		5		6				9
	8	1			7			
				5			4	8

132

9	8			6		2		4
1								
			3			5		
		2	7					
6				1				9
					5	4		
		7			4			
								2
2		4		9			1	8

133

	7						8	
1					5	4		
2	4		8				6	
				9	7			4
	3						2	
6			1	3				
	1				6		5	7
		9	2					3
	5						1	

134

1					3		9	4
		6	8				7	
4								1
				6	9		2	
7								8
	3		1	7				
9								5
	1				4	2		
2	8		5					3

135

			2		6		9	
		6				2		4
3	4							
6			5	8				
	1	3				4	5	
				6	4			1
							3	5
5		1				7		
	3		9		7			

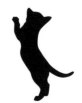

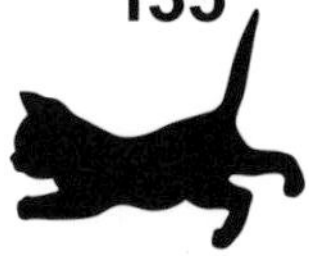

136

	7							
			4		1	6		9
2				5				
						1		
	8			3			5	
		4						
				2				8
8		1	9		6			
							3	

137

				6		1	8	5
						4		
5					2			
9			5					
		1		4		6		
					3			7
			9					3
		7						
3	4	8		1				

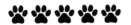

138

		4					1	
				5			6	
	8				7			
		3				8		
7				2				5
		1				9		
			1				3	
	6			9				
	2					7		

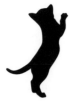

Solutions

1

9	1	7	2	4	8	3	5	6
6	2	4	1	5	3	9	8	7
3	5	8	6	9	7	1	2	4
5	9	2	8	7	6	4	3	1
7	6	1	4	3	2	5	9	8
8	4	3	5	1	9	6	7	2
2	8	9	3	6	4	7	1	5
1	3	6	7	8	5	2	4	9
4	7	5	9	2	1	8	6	3

2

2	5	8	1	7	4	3	9	6
9	7	3	5	8	6	1	2	4
6	1	4	3	9	2	7	8	5
3	8	2	9	4	1	6	5	7
1	4	5	7	6	8	9	3	2
7	9	6	2	5	3	8	4	1
8	3	1	6	2	5	4	7	9
4	2	7	8	1	9	5	6	3
5	6	9	4	3	7	2	1	8

3

3	1	6	2	5	4	9	7	8
2	7	8	1	3	9	4	6	5
4	9	5	6	7	8	3	1	2
6	8	3	9	4	2	1	5	7
9	5	7	3	8	1	6	2	4
1	4	2	7	6	5	8	3	9
5	3	1	4	9	7	2	8	6
8	2	9	5	1	6	7	4	3
7	6	4	8	2	3	5	9	1

4

4	5	8	2	6	3	7	9	1
3	7	2	9	8	1	6	4	5
1	6	9	4	5	7	3	8	2
8	2	7	6	4	9	5	1	3
5	1	4	3	7	2	9	6	8
6	9	3	8	1	5	4	2	7
2	4	6	7	3	8	1	5	9
7	8	5	1	9	6	2	3	4
9	3	1	5	2	4	8	7	6

5

1	9	3	8	7	5	4	6	2
7	2	4	1	3	6	9	5	8
6	8	5	4	9	2	7	3	1
5	4	2	6	8	3	1	9	7
9	6	7	5	4	1	8	2	3
3	1	8	9	2	7	6	4	5
2	5	1	7	6	9	3	8	4
8	3	9	2	1	4	5	7	6
4	7	6	3	5	8	2	1	9

6

1	5	9	3	6	7	4	2	8
7	2	3	1	4	8	6	9	5
8	6	4	9	2	5	7	3	1
5	7	2	8	3	6	1	4	9
3	9	1	2	5	4	8	6	7
6	4	8	7	1	9	2	5	3
4	3	6	5	8	1	9	7	2
9	1	5	6	7	2	3	8	4
2	8	7	4	9	3	5	1	6

7

4	3	7	6	1	8	9	2	5
1	8	2	9	5	7	3	6	4
5	6	9	2	4	3	8	7	1
6	9	1	8	3	2	5	4	7
8	5	4	1	7	6	2	3	9
7	2	3	4	9	5	6	1	8
9	1	6	5	2	4	7	8	3
3	4	8	7	6	9	1	5	2
2	7	5	3	8	1	4	9	6

8

7	8	4	9	5	6	1	2	3
6	9	3	2	1	4	7	8	5
1	5	2	8	7	3	6	9	4
9	6	8	3	4	2	5	7	1
3	2	7	1	6	5	9	4	8
4	1	5	7	8	9	3	6	2
2	3	1	6	9	8	4	5	7
5	7	6	4	2	1	8	3	9
8	4	9	5	3	7	2	1	6

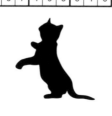

Solutions

9

2	8	4	9	7	1	5	6	3
9	3	5	2	6	4	1	7	8
6	1	7	5	8	3	2	9	4
7	5	2	3	1	6	8	4	9
3	6	8	4	9	2	7	5	1
1	4	9	7	5	8	6	3	2
4	2	1	6	3	5	9	8	7
8	9	6	1	4	7	3	2	5
5	7	3	8	2	9	4	1	6

10

2	3	7	4	9	1	8	6	5
1	4	6	8	5	7	2	9	3
9	5	8	2	6	3	1	4	7
4	1	3	7	2	5	6	8	9
7	6	9	3	4	8	5	2	1
8	2	5	9	1	6	3	7	4
6	7	4	5	3	2	9	1	8
5	9	2	1	8	4	7	3	6
3	8	1	6	7	9	4	5	2

11

9	1	3	8	2	4	7	5	6
2	8	7	5	9	6	3	1	4
4	5	6	7	1	3	8	2	9
6	3	5	1	8	9	4	7	2
1	4	8	6	7	2	9	3	5
7	2	9	3	4	5	6	8	1
3	9	4	2	5	7	1	6	8
8	6	2	4	3	1	5	9	7
5	7	1	9	6	8	2	4	3

12

6	5	8	2	4	9	7	3	1
9	3	7	6	5	1	2	8	4
4	2	1	8	3	7	6	9	5
1	7	3	4	6	2	9	5	8
8	9	2	3	1	5	4	6	7
5	6	4	7	9	8	1	2	3
3	4	9	5	7	6	8	1	2
2	1	5	9	8	4	3	7	6
7	8	6	1	2	3	5	4	9

13

6	4	1	3	7	8	2	9	5
5	7	8	1	2	9	3	6	4
3	2	9	5	4	6	7	1	8
2	6	4	8	3	1	9	5	7
1	9	5	7	6	2	8	4	3
8	3	7	9	5	4	1	2	6
7	8	2	6	9	5	4	3	1
4	1	6	2	8	3	5	7	9
9	5	3	4	1	7	6	8	2

14

6	7	3	9	4	8	2	5	1
5	2	9	6	7	1	4	3	8
1	8	4	3	2	5	6	7	9
7	3	6	2	9	4	1	8	5
4	9	5	8	1	3	7	2	6
2	1	8	5	6	7	9	4	3
8	6	7	4	3	9	5	1	2
3	4	2	1	5	6	8	9	7
9	5	1	7	8	2	3	6	4

15

9	2	7	8	6	5	1	3	4
6	1	5	3	4	9	7	8	2
3	4	8	2	7	1	5	6	9
1	6	2	9	3	8	4	5	7
8	7	4	5	2	6	9	1	3
5	9	3	4	1	7	6	2	8
4	5	6	7	8	3	2	9	1
7	3	1	6	9	2	8	4	5
2	8	9	1	5	4	3	7	6

16

1	9	5	6	3	2	4	7	8
3	2	7	8	9	4	5	6	1
4	8	6	1	5	7	2	9	3
5	6	1	7	4	9	8	3	2
7	4	2	5	8	3	9	1	6
9	3	8	2	1	6	7	5	4
6	5	4	3	7	8	1	2	9
8	7	3	9	2	1	6	4	5
2	1	9	4	6	5	3	8	7

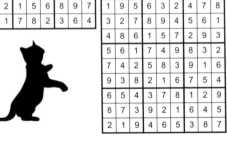

Solutions

17

1	8	4	5	6	3	2	9	7
7	6	5	9	4	2	8	1	3
2	3	9	1	8	7	5	4	6
9	2	8	3	1	5	7	6	4
3	5	6	4	7	8	1	2	9
4	1	7	6	2	9	3	8	5
5	7	1	8	9	6	4	3	2
8	9	3	2	5	4	6	7	1
6	4	2	7	3	1	9	5	8

18

4	7	8	3	6	2	1	9	5
5	9	3	1	8	4	2	6	7
2	1	6	5	9	7	8	4	3
1	6	7	4	2	8	3	5	9
8	2	5	6	3	9	7	1	4
3	4	9	7	1	5	6	2	8
7	3	4	2	5	6	9	8	1
6	8	1	9	4	3	5	7	2
9	5	2	8	7	1	4	3	6

19

3	9	6	5	2	4	1	8	7
8	1	4	9	6	7	3	5	2
5	7	2	8	1	3	6	4	9
1	8	9	6	7	5	4	2	3
4	6	7	3	8	2	9	1	5
2	3	5	4	9	1	8	7	6
6	4	8	7	5	9	2	3	1
7	2	3	1	4	6	5	9	8
9	5	1	2	3	8	7	6	4

20

7	8	5	1	4	6	3	9	2
1	2	3	9	5	7	4	6	8
6	4	9	8	3	2	1	7	5
5	1	7	4	2	9	6	8	3
9	3	8	5	6	1	2	4	7
4	6	2	7	8	3	9	5	1
8	5	1	3	9	4	7	2	6
2	7	4	6	1	5	8	3	9
3	9	6	2	7	8	5	1	4

21

7	3	2	1	6	4	9	5	8
1	5	9	7	8	2	6	4	3
4	6	8	9	5	3	2	7	1
3	9	6	2	4	5	1	8	7
5	8	7	3	9	1	4	6	2
2	1	4	6	7	8	5	3	9
8	4	1	5	2	7	3	9	6
6	7	3	4	1	9	8	2	5
9	2	5	8	3	6	7	1	4

22

6	9	7	4	3	8	5	2	1
4	5	1	6	7	2	8	9	3
3	2	8	9	5	1	7	6	4
8	3	2	7	6	5	1	4	9
7	4	5	3	1	9	2	8	6
1	6	9	2	8	4	3	5	7
9	8	4	1	2	7	6	3	5
2	7	6	5	4	3	9	1	8
5	1	3	8	9	6	4	7	2

23

8	2	5	9	4	3	7	6	1
7	9	3	1	8	6	2	4	5
6	1	4	7	2	5	8	9	3
2	7	9	5	1	8	6	3	4
4	6	1	2	3	9	5	7	8
5	3	8	6	7	4	9	1	2
9	8	2	4	6	1	3	5	7
1	5	7	3	9	2	4	8	6
3	4	6	8	5	7	1	2	9

24

2	6	7	9	3	5	4	8	1
8	5	3	1	6	4	7	2	9
9	4	1	8	2	7	6	3	5
7	3	8	4	1	2	9	5	6
4	1	5	3	9	6	2	7	8
6	2	9	7	5	8	3	1	4
3	7	4	5	8	9	1	6	2
5	9	2	6	7	1	8	4	3
1	8	6	2	4	3	5	9	7

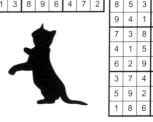

Solutions

25

3	4	5	8	9	2	1	6	7
7	2	1	5	6	4	3	8	9
8	6	9	3	7	1	2	5	4
4	9	8	2	1	5	6	7	3
5	3	7	9	4	6	8	1	2
6	1	2	7	8	3	4	9	5
2	8	3	1	5	7	9	4	6
9	5	6	4	2	8	7	3	1
1	7	4	6	3	9	5	2	8

26

7	2	5	1	4	3	6	8	9
9	1	4	2	8	6	3	7	5
3	8	6	5	9	7	2	4	1
4	7	1	3	6	5	9	2	8
2	5	8	4	7	9	1	3	6
6	9	3	8	1	2	7	5	4
5	4	9	7	3	1	8	6	2
1	3	2	6	5	8	4	9	7
8	6	7	9	2	4	5	1	3

27

9	1	7	2	3	4	8	6	5
3	8	5	9	6	1	7	2	4
6	4	2	7	5	8	3	1	9
1	6	8	5	4	7	2	9	3
2	3	4	1	9	6	5	7	8
7	5	9	3	8	2	1	4	6
4	9	1	8	7	3	6	5	2
5	7	3	6	2	9	4	8	1
8	2	6	4	1	5	9	3	7

28

6	8	4	9	1	7	2	5	3
7	3	9	5	8	2	1	6	4
1	2	5	3	4	6	9	7	8
8	6	7	2	3	1	5	4	9
5	1	2	4	7	9	3	8	6
9	4	3	6	5	8	7	1	2
4	9	8	1	2	5	6	3	7
3	5	6	7	9	4	8	2	1
2	7	1	8	6	3	4	9	5

29

4	7	3	9	1	6	5	8	2
6	2	8	5	4	3	7	1	9
5	1	9	8	2	7	3	6	4
2	5	6	1	8	9	4	7	3
8	3	1	4	7	2	9	5	6
9	4	7	3	6	5	1	2	8
3	8	4	6	5	1	2	9	7
7	9	5	2	3	8	6	4	1
1	6	2	7	9	4	8	3	5

30

5	3	7	9	4	1	6	8	2
1	8	9	3	2	6	4	5	7
4	2	6	8	7	5	1	9	3
7	6	3	1	9	2	8	4	5
9	1	5	7	8	4	2	3	6
2	4	8	6	5	3	7	1	9
3	9	4	2	1	7	5	6	8
6	7	1	5	3	8	9	2	4
8	5	2	4	6	9	3	7	1

31

3	4	7	2	1	5	8	9	6
8	6	2	4	3	9	5	1	7
9	1	5	8	6	7	4	2	3
7	5	1	3	8	4	9	6	2
2	9	4	1	7	6	3	8	5
6	8	3	5	9	2	7	4	1
4	7	6	9	2	3	1	5	8
5	2	8	7	4	1	6	3	9
1	3	9	6	5	8	2	7	4

32

2	4	6	5	7	1	9	3	8
3	5	7	8	6	9	2	1	4
1	9	8	4	2	3	5	7	6
4	1	3	6	8	2	7	9	5
5	6	9	3	4	7	1	8	2
8	7	2	9	1	5	4	6	3
7	3	1	2	5	8	6	4	9
6	8	5	1	9	4	3	2	7
9	2	4	7	3	6	8	5	1

Solutions

33

4	3	5	8	6	2	9	1	7
6	8	1	9	7	3	5	2	4
7	9	2	1	4	5	8	3	6
3	5	7	2	8	9	4	6	1
9	4	6	3	1	7	2	8	5
1	2	8	4	5	6	3	7	9
8	6	9	5	3	1	7	4	2
2	1	4	7	9	8	6	5	3
5	7	3	6	2	4	1	9	8

34

4	6	7	2	3	5	8	9	1
9	8	2	1	7	6	4	5	3
3	1	5	4	9	8	6	2	7
8	9	1	7	5	4	2	3	6
2	4	3	9	6	1	7	8	5
5	7	6	8	2	3	9	1	4
7	5	8	6	1	9	3	4	2
6	3	4	5	8	2	1	7	9
1	2	9	3	4	7	5	6	8

35

1	7	3	2	5	6	9	8	4
6	2	8	4	1	9	5	7	3
5	9	4	3	8	7	2	6	1
9	6	5	1	3	8	4	2	7
2	4	1	7	6	5	8	3	9
8	3	7	9	4	2	6	1	5
3	1	2	6	9	4	7	5	8
7	5	9	8	2	3	1	4	6
4	8	6	5	7	1	3	9	2

36

3	8	1	6	4	9	5	2	7
7	2	4	5	8	1	3	6	9
5	9	6	2	7	3	4	8	1
2	7	5	3	9	4	8	1	6
1	3	9	7	6	8	2	5	4
6	4	8	1	2	5	7	9	3
9	5	7	8	3	6	1	4	2
4	1	2	9	5	7	6	3	8
8	6	3	4	1	2	9	7	5

37

7	2	9	6	4	8	1	3	5
3	6	5	9	1	2	4	8	7
1	8	4	5	7	3	2	6	9
2	3	7	8	9	1	6	5	4
5	9	6	7	3	4	8	2	1
4	1	8	2	6	5	7	9	3
9	4	1	3	8	6	5	7	2
8	7	2	4	5	9	3	1	6
6	5	3	1	2	7	9	4	8

38

8	1	2	9	6	3	4	5	7
5	3	4	7	2	8	1	6	9
9	6	7	1	4	5	8	2	3
1	2	3	5	8	4	7	9	6
4	8	9	2	7	6	3	1	5
7	5	6	3	1	9	2	8	4
2	4	1	6	5	7	9	3	8
6	9	8	4	3	1	5	7	2
3	7	5	8	9	2	6	4	1

39

7	4	8	3	2	5	1	6	9
3	1	6	8	4	9	5	7	2
5	2	9	6	1	7	8	3	4
6	8	1	5	3	4	9	2	7
2	3	7	1	9	8	6	4	5
9	5	4	7	6	2	3	1	8
8	7	3	4	5	6	2	9	1
4	6	2	9	8	1	7	5	3
1	9	5	2	7	3	4	8	6

40

1	6	3	4	5	8	7	9	2
7	5	2	6	9	3	1	8	4
9	4	8	7	1	2	5	3	6
8	2	1	5	3	4	6	7	9
6	3	4	2	7	9	8	5	1
5	9	7	1	8	6	4	2	3
3	8	6	9	4	5	2	1	7
2	1	5	3	6	7	9	4	8
4	7	9	8	2	1	3	6	5

Solutions

41

3	7	9	4	2	5	8	6	1
2	8	6	3	1	9	4	5	7
4	5	1	8	7	6	3	9	2
5	3	7	9	8	1	2	4	6
9	4	8	6	3	2	7	1	5
6	1	2	5	4	7	9	3	8
7	9	4	1	6	8	5	2	3
8	6	3	2	5	4	1	7	9
1	2	5	7	9	3	6	8	4

42

2	1	3	8	5	4	9	6	7
4	6	9	7	1	3	5	2	8
5	7	8	9	6	2	1	4	3
3	5	4	6	2	8	7	9	1
6	8	7	1	4	9	2	3	5
1	9	2	5	3	7	4	8	6
8	2	6	4	7	5	3	1	9
9	4	5	3	8	1	6	7	2
7	3	1	2	9	6	8	5	4

43

1	6	7	9	5	8	3	2	4
3	2	4	7	1	6	8	9	5
9	5	8	3	2	4	7	1	6
7	1	6	8	9	5	4	3	2
8	9	5	4	3	2	6	7	1
4	3	2	6	7	1	5	8	9
5	8	9	2	4	3	1	6	7
6	7	1	5	8	9	2	4	3
2	4	3	1	6	7	9	5	8

44

6	3	7	4	2	5	8	9	1
4	1	5	9	8	3	2	6	7
9	2	8	6	7	1	3	5	4
8	6	2	7	3	9	1	4	5
7	5	1	8	4	6	9	3	2
3	4	9	1	5	2	7	8	6
1	7	6	3	9	4	5	2	8
5	8	3	2	6	7	4	1	9
2	9	4	5	1	8	6	7	3

45

2	9	1	5	6	4	8	7	3
3	5	7	1	8	9	2	6	4
6	4	8	3	7	2	1	9	5
7	6	9	8	2	3	5	4	1
8	1	4	7	9	5	3	2	6
5	3	2	4	1	6	7	8	9
4	7	5	6	3	8	9	1	2
9	8	3	2	4	1	6	5	7
1	2	6	9	5	7	4	3	8

46

1	4	8	6	2	5	7	3	9
5	2	6	9	3	7	1	4	8
7	3	9	8	4	1	5	2	6
2	6	1	5	9	3	4	8	7
3	9	5	7	8	4	2	6	1
4	8	7	1	6	2	3	9	5
9	5	2	3	7	8	6	1	4
8	7	3	4	1	6	9	5	2
6	1	4	2	5	9	8	7	3

47

8	1	3	5	9	4	6	7	2
5	4	9	2	7	6	3	1	8
6	7	2	1	3	8	9	5	4
1	5	8	3	4	2	7	6	9
3	9	4	6	8	7	1	2	5
7	2	6	9	1	5	8	4	3
2	3	1	7	5	9	4	8	6
9	8	5	4	6	1	2	3	7
4	6	7	8	2	3	5	9	1

48

8	4	9	1	3	5	2	6	7
1	3	5	7	6	2	9	8	4
2	6	7	8	9	4	5	3	1
5	1	2	4	7	3	8	9	6
3	7	6	9	1	8	4	5	2
9	8	4	2	5	6	7	1	3
6	2	1	5	8	7	3	4	9
7	9	8	3	4	1	6	2	5
4	5	3	6	2	9	1	7	8

Solutions

49

2	4	8	9	6	5	1	7	3
1	3	9	7	4	8	6	2	5
7	5	6	1	3	2	9	4	8
4	8	2	3	5	1	7	6	9
6	9	5	8	7	4	3	1	2
3	1	7	6	2	9	5	8	4
9	7	4	5	8	6	2	3	1
8	6	1	2	9	3	4	5	7
5	2	3	4	1	7	8	9	6

50

6	2	7	1	3	9	8	4	5
8	3	1	6	5	4	7	2	9
4	9	5	2	8	7	6	1	3
1	4	8	5	7	2	9	3	6
5	7	2	3	9	6	4	8	1
9	6	3	8	4	1	5	7	2
7	5	6	4	2	3	1	9	8
3	8	9	7	1	5	2	6	4
2	1	4	9	6	8	3	5	7

51

2	9	1	3	5	6	4	8	7
7	4	3	8	1	2	9	6	5
8	6	5	4	9	7	1	3	2
4	1	2	9	7	8	6	5	3
9	7	8	6	3	5	2	1	4
3	5	6	2	4	1	8	7	9
1	3	4	5	6	9	7	2	8
5	8	7	1	2	4	3	9	6
6	2	9	7	8	3	5	4	1

52

8	6	5	3	9	7	2	1	4
4	2	3	1	6	8	7	5	9
1	9	7	4	5	2	3	6	8
7	1	9	6	8	5	4	2	3
6	5	8	2	4	3	1	9	7
3	4	2	9	7	1	6	8	5
9	3	6	5	2	4	8	7	1
5	7	1	8	3	6	9	4	2
2	8	4	7	1	9	5	3	6

53

3	5	4	8	9	6	7	1	2
7	6	9	2	1	5	8	4	3
8	1	2	4	3	7	5	6	9
6	9	8	7	5	2	4	3	1
2	7	5	1	4	3	9	8	6
1	4	3	9	6	8	2	5	7
9	8	6	3	7	4	1	2	5
4	3	1	5	2	9	6	7	8
5	2	7	6	8	1	3	9	4

54

2	6	8	5	9	1	4	7	3
1	5	4	3	2	7	9	6	8
7	9	3	8	4	6	2	1	5
4	2	1	6	8	9	5	3	7
5	8	7	1	3	4	6	2	9
9	3	6	7	5	2	1	8	4
6	4	2	9	7	3	8	5	1
3	1	5	4	6	8	7	9	2
8	7	9	2	1	5	3	4	6

55

9	5	4	7	3	2	6	8	1
7	3	2	6	8	1	9	5	4
6	8	1	9	5	4	7	3	2
4	7	3	2	6	8	1	9	5
2	6	8	1	9	5	4	7	3
1	9	5	4	7	3	2	6	8
3	2	6	8	1	9	5	4	7
8	1	9	5	4	7	3	2	6
5	4	7	3	2	6	8	1	9

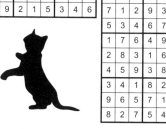

56

6	9	8	2	5	4	7	1	3
7	1	2	9	3	8	4	6	5
5	3	4	6	7	1	8	2	9
1	7	6	4	9	5	3	8	2
2	8	3	1	6	7	9	5	4
4	5	9	3	8	2	6	7	1
3	4	1	8	2	6	5	9	7
9	6	5	7	1	3	2	4	8
8	2	7	5	4	9	1	3	6

Solutions

57

9	5	8	7	4	1	6	3	2
1	6	3	2	9	8	5	4	7
4	2	7	5	6	3	9	8	1
2	4	6	3	8	9	1	7	5
7	9	5	4	1	2	8	6	3
8	3	1	6	5	7	4	2	9
3	1	4	9	7	6	2	5	8
6	7	9	8	2	5	3	1	4
5	8	2	1	3	4	7	9	6

58

7	1	4	9	6	5	2	8	3
8	6	9	3	1	2	5	4	7
5	3	2	8	4	7	6	9	1
3	2	6	4	9	1	8	7	5
1	4	8	7	5	6	9	3	2
9	5	7	2	8	3	4	1	6
2	8	5	1	3	4	7	6	9
4	7	3	6	2	9	1	5	8
6	9	1	5	7	8	3	2	4

59

4	1	8	2	6	3	7	9	5
9	7	2	5	8	1	4	3	6
3	6	5	9	7	4	8	1	2
8	2	3	4	9	6	1	5	7
6	5	9	1	2	7	3	4	8
7	4	1	3	5	8	6	2	9
5	8	4	7	3	9	2	6	1
1	9	7	6	4	2	5	8	3
2	3	6	8	1	5	9	7	4

60

9	4	8	7	5	6	3	1	2
5	2	3	1	9	4	8	7	6
1	7	6	8	2	3	5	4	9
4	5	9	2	3	1	6	8	7
2	3	1	6	7	8	4	9	5
6	8	7	9	4	5	2	3	1
8	9	5	3	1	2	7	6	4
7	6	2	4	8	9	1	5	3
3	1	4	5	6	7	9	2	8

61

1	3	4	6	2	9	7	8	5
6	9	5	8	4	7	2	1	3
8	7	2	1	5	3	9	4	6
9	2	1	4	3	8	6	5	7
4	5	6	2	7	1	8	3	9
7	8	3	5	9	6	1	2	4
2	6	7	3	1	4	5	9	8
5	4	8	9	6	2	3	7	1
3	1	9	7	8	5	4	6	2

62

6	7	3	4	2	9	5	8	1
9	1	8	7	6	5	2	4	3
5	4	2	3	8	1	9	6	7
8	9	4	6	1	3	7	5	2
2	3	7	8	5	4	1	9	6
1	5	6	2	9	7	4	3	8
4	6	5	1	7	8	3	2	9
3	8	1	9	4	2	6	7	5
7	2	9	5	3	6	8	1	4

63

1	5	2	7	4	3	8	9	6
7	6	3	2	9	8	5	4	1
4	9	8	6	5	1	3	7	2
5	1	6	8	7	9	4	2	3
3	2	4	1	6	5	7	8	9
9	8	7	4	3	2	6	1	5
8	4	1	3	2	6	9	5	7
2	3	5	9	8	7	1	6	4
6	7	9	5	1	4	2	3	8

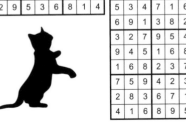

64

8	7	2	5	4	9	1	6	3
5	3	4	7	1	6	9	2	8
6	9	1	3	8	2	7	4	5
3	2	7	9	5	4	8	1	6
9	4	5	1	6	8	2	3	7
1	6	8	2	3	7	5	9	4
7	5	9	4	2	3	6	8	1
2	8	3	6	7	1	4	5	9
4	1	6	8	9	5	3	7	2

Solutions

65

1	2	3	4	9	6	7	5	8
6	9	8	7	5	2	3	1	4
5	4	7	8	3	1	6	9	2
2	7	5	1	8	4	9	3	6
8	1	4	9	6	3	2	7	5
9	3	6	2	7	5	8	4	1
3	6	9	5	1	8	4	2	7
4	8	1	3	2	7	5	6	9
7	5	2	6	4	9	1	8	3

66

2	1	5	8	9	6	4	7	3
6	9	7	3	2	4	8	5	1
8	4	3	7	1	5	9	6	2
9	3	6	5	4	7	2	1	8
4	7	1	2	3	8	5	9	6
5	8	2	1	6	9	3	4	7
3	2	4	9	7	1	6	8	5
1	5	9	6	8	3	7	2	4
7	6	8	4	5	2	1	3	9

67

2	1	4	6	8	7	9	5	3
5	3	6	9	4	1	8	2	7
9	8	7	2	5	3	1	6	4
4	6	9	7	3	2	5	8	1
3	7	1	5	9	8	6	4	2
8	5	2	1	6	4	3	7	9
7	9	5	3	2	6	4	1	8
1	4	3	8	7	5	2	9	6
6	2	8	4	1	9	7	3	5

68

4	7	2	8	1	3	6	9	5
9	5	3	2	6	4	8	1	7
6	8	1	9	5	7	3	4	2
8	1	4	5	9	2	7	3	6
3	9	5	7	8	6	1	2	4
2	6	7	3	4	1	9	5	8
5	4	6	1	3	8	2	7	9
7	3	8	4	2	9	5	6	1
1	2	9	6	7	5	4	8	3

69

7	8	1	2	5	6	9	3	4
3	4	5	9	8	1	7	2	6
9	2	6	4	7	3	8	5	1
8	9	2	1	4	7	3	6	5
5	3	4	8	6	2	1	9	7
1	6	7	3	9	5	2	4	8
4	1	9	6	2	8	5	7	3
2	7	8	5	3	4	6	1	9
6	5	3	7	1	9	4	8	2

70

9	4	8	2	5	7	1	3	6
3	5	6	8	1	4	7	9	2
1	2	7	6	3	9	5	4	8
6	1	5	9	8	2	3	7	4
2	3	9	7	4	5	8	6	1
8	7	4	1	6	3	2	5	9
4	8	2	3	7	6	9	1	5
5	9	3	4	2	1	6	8	7
7	6	1	5	9	8	4	2	3

71

9	1	2	3	5	6	8	7	4
7	5	8	2	1	4	6	3	9
3	6	4	7	9	8	2	1	5
6	3	5	9	8	2	7	4	1
8	7	9	1	4	3	5	6	2
2	4	1	5	6	7	9	8	3
1	2	3	8	7	9	4	5	6
5	8	6	4	2	1	3	9	7
4	9	7	6	3	5	1	2	8

72

7	5	9	6	3	2	8	1	4
2	4	3	7	8	1	5	6	9
6	1	8	4	9	5	7	3	2
3	7	1	9	5	8	4	2	6
9	6	2	3	7	4	1	5	8
5	8	4	1	2	6	3	9	7
8	2	7	5	6	3	9	4	1
1	9	5	2	4	7	6	8	3
4	3	6	8	1	9	2	7	5

Solutions

73

5	7	1	6	4	3	9	8	2
2	8	4	9	1	5	3	6	7
6	9	3	7	8	2	5	1	4
7	2	8	3	9	1	6	4	5
3	1	9	5	6	4	7	2	8
4	5	6	2	7	8	1	9	3
1	4	7	8	3	6	2	5	9
9	6	2	4	5	7	8	3	1
8	3	5	1	2	9	4	7	6

74

9	5	4	1	6	7	2	8	3
6	8	2	9	4	3	5	1	7
3	7	1	8	5	2	6	9	4
8	1	5	7	9	6	3	4	2
4	3	9	5	2	8	7	6	1
7	2	6	3	1	4	8	5	9
1	9	8	2	7	5	4	3	6
5	4	7	6	3	9	1	2	8
2	6	3	4	8	1	9	7	5

75

7	8	5	3	1	6	9	2	4
4	3	1	9	2	7	8	6	5
9	2	6	8	4	5	7	3	1
1	7	9	2	6	3	5	4	8
8	5	2	4	7	9	6	1	3
3	6	4	1	5	8	2	7	9
6	1	7	5	8	4	3	9	2
5	4	3	7	9	2	1	8	6
2	9	8	6	3	1	4	5	7

76

2	4	8	7	6	3	9	5	1
3	7	6	5	1	9	8	2	4
1	9	5	4	8	2	6	7	3
5	8	1	9	4	6	7	3	2
9	2	3	1	7	5	4	6	8
4	6	7	2	3	8	5	1	9
8	3	2	6	9	7	1	4	5
6	1	9	3	5	4	2	8	7
7	5	4	8	2	1	3	9	6

77

2	3	6	9	7	4	8	5	1
4	7	9	8	5	1	3	6	2
8	5	1	6	2	3	9	7	4
3	6	2	1	4	5	7	9	8
5	8	7	2	9	6	1	4	3
1	9	4	3	8	7	5	2	6
9	1	5	4	6	8	2	3	7
6	2	8	7	3	9	4	1	5
7	4	3	5	1	2	6	8	9

78

1	6	2	7	4	9	8	3	5
5	7	8	6	2	3	9	1	4
3	4	9	5	8	1	7	6	2
7	8	4	3	6	5	1	2	9
2	5	6	9	1	8	3	4	7
9	3	1	2	7	4	6	5	8
8	2	5	1	9	6	4	7	3
6	9	3	4	5	7	2	8	1
4	1	7	8	3	2	5	9	6

79

8	4	1	6	3	7	5	9	2
3	2	9	4	5	1	6	7	8
5	7	6	2	9	8	4	3	1
2	9	3	5	7	4	8	1	6
6	5	8	3	1	9	7	2	4
7	1	4	8	6	2	3	5	9
9	3	7	1	4	6	2	8	5
4	8	5	9	2	3	1	6	7
1	6	2	7	8	5	9	4	3

80

9	6	8	7	3	1	2	4	5
2	3	4	9	6	5	7	1	8
1	5	7	2	4	8	9	6	3
6	4	2	8	1	3	5	9	7
5	9	3	6	7	2	4	8	1
7	8	1	4	5	9	6	3	2
3	1	6	5	9	7	8	2	4
8	7	9	3	2	4	1	5	6
4	2	5	1	8	6	3	7	9

Solutions

81

6	2	8	1	9	7	4	3	5
4	9	5	6	3	2	1	7	8
3	7	1	4	5	8	2	6	9
8	3	6	2	4	9	5	1	7
5	1	7	8	6	3	9	2	4
2	4	9	7	1	5	3	8	6
7	6	4	5	2	1	8	9	3
1	5	3	9	8	6	7	4	2
9	8	2	3	7	4	6	5	1

82

2	1	9	6	7	5	3	4	8
3	7	5	4	8	9	1	6	2
4	8	6	2	1	3	7	9	5
1	5	3	9	4	7	2	8	6
9	6	7	8	3	2	5	1	4
8	2	4	5	6	1	9	7	3
7	4	1	3	2	8	6	5	9
6	9	2	1	5	4	8	3	7
5	3	8	7	9	6	4	2	1

83

4	7	6	8	3	9	2	5	1
3	9	1	5	6	2	4	8	7
2	5	8	7	1	4	6	9	3
8	2	3	9	5	6	7	1	4
7	1	9	4	8	3	5	6	2
5	6	4	2	7	1	9	3	8
9	3	5	1	4	7	8	2	6
1	8	7	6	2	5	3	4	9
6	4	2	3	9	8	1	7	5

84

2	1	6	5	3	7	8	4	9
9	7	8	4	6	1	5	2	3
4	3	5	2	8	9	7	1	6
7	8	3	9	1	4	2	6	5
6	9	1	8	2	5	4	3	7
5	4	2	3	7	6	1	9	8
8	6	9	1	5	2	3	7	4
1	5	4	7	9	3	6	8	2
3	2	7	6	4	8	9	5	1

85

8	7	4	3	1	5	9	6	2
1	3	2	4	6	9	7	5	8
9	5	6	7	8	2	1	3	4
5	9	3	8	4	7	2	1	6
4	1	8	2	5	6	3	7	9
2	6	7	1	9	3	4	8	5
7	8	9	5	3	4	6	2	1
3	4	5	6	2	1	8	9	7
6	2	1	9	7	8	5	4	3

86

3	2	7	5	8	1	6	9	4
6	4	5	9	3	7	2	1	8
9	1	8	2	4	6	7	5	3
2	5	1	4	6	3	9	8	7
7	3	6	8	9	2	5	4	1
8	9	4	7	1	5	3	6	2
4	7	2	6	5	8	1	3	9
5	8	3	1	2	9	4	7	6
1	6	9	3	7	4	8	2	5

87

8	6	3	1	2	5	4	9	7
1	5	7	9	4	6	3	2	8
9	4	2	8	7	3	1	6	5
7	9	8	6	1	4	2	5	3
2	1	5	7	3	8	9	4	6
4	3	6	5	9	2	7	8	1
6	2	4	3	5	7	8	1	9
3	8	1	2	6	9	5	7	4
5	7	9	4	8	1	6	3	2

88

5	7	2	4	9	3	8	6	1
1	6	3	8	5	7	9	2	4
8	4	9	6	2	1	7	3	5
7	1	8	3	4	6	2	5	9
6	2	5	7	1	9	3	4	8
9	3	4	2	8	5	1	7	6
3	5	6	9	7	8	4	1	2
2	9	1	5	3	4	6	8	7
4	8	7	1	6	2	5	9	3

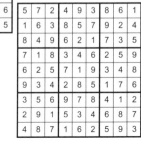

Solutions

89

7	5	3	2	8	9	4	1	6
6	9	1	4	3	7	8	2	5
2	4	8	1	6	5	9	3	7
5	1	9	3	7	4	6	8	2
4	3	7	6	2	8	1	5	9
8	2	6	9	5	1	7	4	3
9	7	4	5	1	3	2	6	8
3	8	2	7	4	6	5	9	1
1	6	5	8	9	2	3	7	4

90

2	7	5	1	3	4	8	6	9
6	9	8	5	2	7	4	1	3
4	1	3	9	8	6	2	7	5
8	6	9	7	5	2	3	4	1
3	4	1	6	9	8	5	2	7
5	2	7	4	1	3	9	8	6
1	3	4	8	6	9	7	5	2
7	5	2	3	4	1	6	9	8
9	8	6	2	7	5	1	3	4

91

8	7	2	4	3	6	1	5	9
6	5	4	9	7	1	3	2	8
1	3	9	2	5	8	6	4	7
4	9	6	8	2	7	5	1	3
3	8	7	1	4	5	9	6	2
2	1	5	6	9	3	7	8	4
9	2	1	7	6	4	8	3	5
5	4	8	3	1	9	2	7	6
7	6	3	5	8	2	4	9	1

92

4	5	3	6	2	7	1	9	8
1	2	6	3	9	8	4	5	7
9	8	7	5	1	4	6	3	2
3	6	8	4	7	5	9	2	1
2	7	1	9	3	6	5	8	4
5	9	4	1	8	2	3	7	6
6	4	2	8	5	9	7	1	3
8	1	9	7	6	3	2	4	5
7	3	5	2	4	1	8	6	9

93

9	7	8	3	1	2	4	6	5
6	4	2	7	5	8	1	3	9
1	3	5	9	6	4	7	2	8
4	2	9	8	7	1	6	5	3
3	5	1	6	4	9	8	7	2
8	6	7	5	2	3	9	4	1
2	9	3	4	8	6	5	1	7
7	8	4	1	3	5	2	9	6
5	1	6	2	9	7	3	8	4

94

2	9	7	1	5	6	3	4	8
1	5	6	3	4	8	9	7	2
4	8	3	7	2	9	6	1	5
7	2	9	6	1	5	8	3	4
3	4	8	9	7	2	5	6	1
6	1	5	8	3	4	2	9	7
8	3	4	2	9	7	1	5	6
9	7	2	5	6	1	4	8	3
5	6	1	4	8	3	7	2	9

95

5	7	9	6	1	8	3	2	4
6	1	8	2	4	3	7	9	5
4	2	3	9	5	7	6	1	8
3	9	2	4	7	6	5	8	1
7	5	4	8	3	1	9	6	2
8	6	1	5	2	9	4	7	3
1	8	7	3	6	4	2	5	9
2	4	6	1	9	5	8	3	7
9	3	5	7	8	2	1	4	6

96

6	2	5	9	1	7	4	3	8
9	1	7	4	3	8	5	6	2
4	3	8	5	6	2	7	9	1
3	8	4	6	2	5	9	1	7
1	7	9	3	8	4	6	2	5
2	5	6	1	7	9	3	8	4
5	6	2	7	9	1	8	4	3
7	9	1	8	4	3	2	5	6
8	4	3	2	5	6	1	7	9

Solutions

97

9	4	2	7	8	6	1	3	5
7	1	6	5	3	9	2	8	4
8	3	5	1	2	4	6	9	7
4	6	7	8	1	2	3	5	9
5	9	1	4	6	3	7	2	8
2	8	3	9	5	7	4	1	6
1	7	4	2	9	5	8	6	3
3	2	9	6	7	8	5	4	1
6	5	8	3	4	1	9	7	2

98

2	3	9	8	4	7	6	1	5
6	4	7	9	5	1	2	3	8
5	1	8	2	6	3	7	9	4
9	6	3	1	2	5	4	8	7
1	2	5	7	8	4	3	6	9
7	8	4	6	3	9	5	2	1
3	9	1	4	7	6	8	5	2
8	7	6	5	1	2	9	4	3
4	5	2	3	9	8	1	7	6

99

8	1	7	6	5	2	3	4	9
3	4	6	8	7	9	2	1	5
5	2	9	1	3	4	8	7	6
1	8	4	2	9	5	6	3	7
9	3	5	7	1	6	4	2	8
6	7	2	4	8	3	9	5	1
7	6	3	5	2	8	1	9	4
4	9	1	3	6	7	5	8	2
2	5	8	9	4	1	7	6	3

100

6	3	4	8	7	9	2	1	5
8	1	2	6	4	5	9	3	7
9	5	7	1	3	2	8	4	6
1	8	9	3	5	6	7	2	4
7	6	5	4	2	8	1	9	3
2	4	3	9	1	7	6	5	8
4	7	8	5	9	1	3	6	2
5	2	1	7	6	3	4	8	9
3	9	6	2	8	4	5	7	1

101

3	6	1	9	4	8	2	5	7
2	9	5	7	1	6	4	3	8
8	7	4	3	5	2	6	1	9
9	2	8	4	6	1	3	7	5
5	1	3	2	8	7	9	6	4
7	4	6	5	3	9	8	2	1
4	3	2	8	7	5	1	9	6
1	8	7	6	9	3	5	4	2
6	5	9	1	2	4	7	8	3

102

6	9	2	5	1	7	8	4	3
7	3	8	9	4	6	2	1	5
5	1	4	8	3	2	9	7	6
8	7	3	4	5	1	6	9	2
1	4	5	2	6	9	7	3	8
2	6	9	7	8	3	1	5	4
9	5	6	3	7	8	4	2	1
3	2	1	6	9	4	5	8	7
4	8	7	1	2	5	3	6	9

103

3	1	2	4	6	5	8	9	7
8	9	5	7	3	1	4	2	6
6	4	7	8	9	2	3	1	5
9	6	4	5	2	8	7	3	1
1	7	3	9	4	6	2	5	8
5	2	8	3	1	7	6	4	9
7	5	1	2	8	3	9	6	4
4	3	6	1	7	9	5	8	2
2	8	9	6	5	4	1	7	3

104

2	8	4	3	1	7	6	9	5
3	6	9	4	8	5	2	7	1
1	7	5	2	6	9	3	4	8
9	2	1	5	4	6	8	3	7
4	3	6	7	2	8	1	5	9
7	5	8	9	3	1	4	2	6
6	9	2	1	7	3	5	8	4
5	1	3	8	9	4	7	6	2
8	4	7	6	5	2	9	1	3

Solutions

105

3	2	5	6	1	7	8	9	4
4	8	1	9	3	5	7	6	2
6	7	9	2	8	4	5	1	3
5	3	7	1	6	9	4	2	8
8	9	2	7	4	3	6	5	1
1	6	4	5	2	8	3	7	9
2	4	6	3	5	1	9	8	7
9	5	3	8	7	2	1	4	6
7	1	8	4	9	6	2	3	5

106

4	6	2	7	1	9	5	3	8
1	3	8	5	6	4	9	2	7
5	9	7	8	2	3	4	6	1
9	7	1	4	5	2	3	8	6
6	4	3	9	8	7	2	1	5
2	8	5	6	3	1	7	4	9
3	5	4	1	7	6	8	9	2
8	2	6	3	9	5	1	7	4
7	1	9	2	4	8	6	5	3

107

1	4	8	9	3	6	7	5	2
5	2	7	1	4	8	9	3	6
3	6	9	5	2	7	1	4	8
8	1	4	6	9	3	2	7	5
7	5	2	8	1	4	6	9	3
9	3	6	7	5	2	8	1	4
4	8	1	3	6	9	5	2	7
2	7	5	4	8	1	3	6	9
6	9	3	2	7	5	4	8	1

108

8	9	4	2	5	6	1	3	7
1	2	7	4	3	9	8	5	6
6	3	5	1	7	8	4	9	2
9	8	1	6	2	3	7	4	5
7	6	2	8	4	5	9	1	3
4	5	3	7	9	1	6	2	8
3	1	6	5	8	4	2	7	9
5	7	8	9	1	2	3	6	4
2	4	9	3	6	7	5	8	1

109

2	9	5	3	1	8	6	7	4
3	7	1	4	6	5	9	8	2
6	4	8	7	2	9	1	3	5
7	6	3	2	9	4	8	5	1
8	1	4	5	7	3	2	9	6
5	2	9	1	8	6	7	4	3
1	5	6	9	4	7	3	2	8
9	3	2	8	5	1	4	6	7
4	8	7	6	3	2	5	1	9

110

7	6	3	1	8	2	5	9	4
5	8	4	9	6	7	2	3	1
1	9	2	3	5	4	6	8	7
4	1	9	5	2	6	3	7	8
2	3	6	7	9	8	4	1	5
8	5	7	4	3	1	9	2	6
9	7	8	2	4	5	1	6	3
3	4	1	6	7	9	8	5	2
6	2	5	8	1	3	7	4	9

111

5	7	4	8	9	6	3	1	2
3	8	9	2	1	7	6	5	4
2	6	1	5	3	4	9	8	7
9	1	7	4	6	2	5	3	8
6	2	5	1	8	3	7	4	9
8	4	3	9	7	5	1	2	6
4	9	2	6	5	1	8	7	3
1	3	8	7	4	9	2	6	5
7	5	6	3	2	8	4	9	1

112

4	6	5	2	1	8	7	9	3
3	1	2	6	7	9	5	4	8
9	8	7	5	4	3	6	2	1
7	2	3	8	9	6	4	1	5
6	4	1	7	2	5	8	3	9
8	5	9	4	3	1	2	6	7
2	3	4	1	5	7	9	8	6
1	7	8	9	6	4	3	5	2
5	9	6	3	8	2	1	7	4

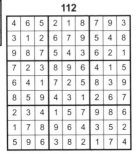

Solutions

113

9	4	1	2	7	6	8	3	5
5	6	7	9	3	8	1	4	2
2	8	3	4	5	1	9	6	7
1	7	2	8	9	4	6	5	3
4	3	8	6	2	5	7	1	9
6	5	9	3	1	7	2	8	4
8	2	6	5	4	9	3	7	1
7	9	4	1	8	3	5	2	6
3	1	5	7	6	2	4	9	8

114

8	7	4	1	5	6	2	3	9
9	2	3	8	4	7	5	6	1
1	6	5	2	9	3	4	8	7
3	4	9	5	7	2	6	1	8
2	8	1	3	6	9	7	5	4
7	5	6	4	1	8	3	9	2
5	9	2	7	3	1	8	4	6
4	1	8	6	2	5	9	7	3
6	3	7	9	8	4	1	2	5

115

6	4	8	1	3	7	9	5	2
3	9	2	8	5	4	7	1	6
1	7	5	2	9	6	4	3	8
5	1	9	3	8	2	6	4	7
4	8	6	5	7	1	2	9	3
7	2	3	4	6	9	1	8	5
2	5	4	7	1	8	3	6	9
8	6	1	9	2	3	5	7	4
9	3	7	6	4	5	8	2	1

116

2	7	5	9	1	4	6	8	3
8	4	9	6	7	3	5	2	1
1	3	6	2	5	8	7	9	4
7	8	3	1	6	5	2	4	9
5	6	2	4	3	9	1	7	8
9	1	4	7	8	2	3	6	5
3	5	7	8	9	6	4	1	2
6	2	8	5	4	1	9	3	7
4	9	1	3	2	7	8	5	6

117

4	6	7	9	5	1	2	3	8
5	1	9	2	3	8	7	6	4
2	3	8	6	4	7	1	9	5
8	2	3	5	6	9	4	1	7
1	5	4	8	7	3	9	2	6
7	9	6	4	1	2	5	8	3
6	4	2	3	9	5	8	7	1
9	7	5	1	8	6	3	4	2
3	8	1	7	2	4	6	5	9

118

5	9	1	3	2	6	7	8	4
3	7	8	1	5	4	9	2	6
2	4	6	7	9	8	5	1	3
1	3	2	8	6	7	4	5	9
4	8	5	2	3	9	1	6	7
9	6	7	4	1	5	2	3	8
7	2	4	6	8	1	3	9	5
8	5	3	9	4	2	6	7	1
6	1	9	5	7	3	8	4	2

119

2	3	6	1	4	5	9	7	8
8	7	9	3	2	6	5	4	1
5	4	1	9	7	8	3	6	2
1	9	7	5	8	4	2	3	6
6	8	5	2	9	3	7	1	4
3	2	4	6	1	7	8	9	5
9	1	3	4	5	2	6	8	7
7	6	2	8	3	1	4	5	9
4	5	8	7	6	9	1	2	3

120

1	5	4	3	2	6	9	8	7
7	3	8	9	4	1	2	6	5
6	2	9	8	7	5	3	4	1
9	6	7	5	8	3	1	2	4
2	4	5	1	6	7	8	9	3
8	1	3	2	9	4	7	5	6
3	7	2	4	5	8	6	1	9
4	9	6	7	1	2	5	3	8
5	8	1	6	3	9	4	7	2

Solutions

121

5	8	4	9	3	6	2	1	7
1	9	2	5	8	7	4	6	3
3	7	6	4	1	2	8	5	9
4	2	5	6	7	3	1	9	8
7	3	1	8	4	9	6	2	5
9	6	8	2	5	1	3	7	4
8	1	9	3	6	5	7	4	2
2	4	7	1	9	8	5	3	6
6	5	3	7	2	4	9	8	1

122

9	4	3	7	6	2	1	8	5
1	2	7	5	8	3	6	9	4
8	6	5	4	9	1	3	2	7
2	5	9	6	4	7	8	1	3
3	8	4	9	1	5	2	7	6
7	1	6	2	3	8	4	5	9
5	9	1	3	2	6	7	4	8
4	3	8	1	7	9	5	6	2
6	7	2	8	5	4	9	3	1

123

3	7	1	8	2	5	4	9	6
2	5	4	9	6	7	8	1	3
6	8	9	1	3	4	7	5	2
8	9	7	2	5	6	3	4	1
1	6	2	4	8	3	9	7	5
4	3	5	7	9	1	6	2	8
7	2	8	3	1	9	5	6	4
5	4	3	6	7	2	1	8	9
9	1	6	5	4	8	2	3	7

124

9	2	5	8	4	6	7	1	3
8	4	3	2	7	1	5	9	6
7	1	6	3	5	9	8	2	4
3	7	4	9	6	5	2	8	1
1	9	8	4	2	3	6	7	5
6	5	2	1	8	7	3	4	9
4	3	7	6	1	2	9	5	8
2	6	1	5	9	8	4	3	7
5	8	9	7	3	4	1	6	2

125

5	1	9	7	3	2	4	8	6
7	6	4	1	5	8	9	3	2
3	2	8	9	4	6	7	1	5
6	3	7	5	8	4	2	9	1
1	9	5	3	2	7	6	4	8
8	4	2	6	9	1	3	5	7
2	5	6	4	1	3	8	7	9
4	7	1	8	6	9	5	2	3
9	8	3	2	7	5	1	6	4

126

6	3	9	5	7	8	4	1	2
4	7	8	2	1	9	3	5	6
5	1	2	4	6	3	9	8	7
2	5	1	7	4	6	8	3	9
8	4	6	3	9	5	2	7	1
3	9	7	8	2	1	5	6	4
9	8	4	1	3	7	6	2	5
7	6	5	9	8	2	1	4	3
1	2	3	6	5	4	7	9	8

127

4	1	5	2	7	9	3	6	8
7	2	3	8	6	4	9	5	1
8	9	6	5	1	3	2	7	4
1	6	4	3	5	2	7	8	9
2	3	7	6	9	8	4	1	5
9	5	8	7	4	1	6	2	3
5	4	9	1	2	6	8	3	7
6	8	1	4	3	7	5	9	2
3	7	2	9	8	5	1	4	6

128

1	4	5	9	6	8	7	2	3
6	7	2	3	5	1	8	4	9
3	8	9	4	2	7	5	6	1
5	2	1	6	3	4	9	8	7
9	6	8	1	7	2	3	5	4
7	3	4	8	9	5	2	1	6
2	5	6	7	1	9	4	3	8
4	9	3	5	8	6	1	7	2
8	1	7	2	4	3	6	9	5

Solutions

129

9	1	6	4	3	5	8	7	2
4	5	8	6	2	7	3	9	1
7	3	2	1	8	9	5	6	4
8	2	1	3	6	4	7	5	9
6	7	5	9	1	8	4	2	3
3	4	9	5	7	2	6	1	8
5	8	3	2	9	6	1	4	7
2	6	7	8	4	1	9	3	5
1	9	4	7	5	3	2	8	6

130

2	4	7	8	9	5	1	3	6
1	8	5	7	3	6	9	2	4
6	3	9	4	2	1	7	5	8
3	1	2	6	4	8	5	9	7
8	5	6	9	7	2	3	4	1
7	9	4	1	5	3	6	8	2
9	2	8	3	6	7	4	1	5
4	6	1	5	8	9	2	7	3
5	7	3	2	1	4	8	6	9

131

5	9	6	7	2	3	8	1	4
1	3	2	4	8	9	6	5	7
8	7	4	5	1	6	9	3	2
6	5	8	2	4	1	7	9	3
2	1	7	3	9	8	4	6	5
9	4	3	6	7	5	2	8	1
3	2	5	8	6	4	1	7	9
4	8	1	9	3	7	5	2	6
7	6	9	1	5	2	3	4	8

132

9	8	5	1	6	7	2	3	4
1	4	3	2	5	9	8	6	7
7	2	6	3	4	8	5	9	1
4	9	2	7	3	6	1	8	5
6	5	8	4	1	2	3	7	9
3	7	1	9	8	5	4	2	6
8	1	7	6	2	4	9	5	3
5	3	9	8	7	1	6	4	2
2	6	4	5	9	3	7	1	8

133

9	7	5	6	2	4	3	8	1
1	8	6	3	7	5	4	9	2
2	4	3	8	1	9	7	6	5
8	2	1	5	9	7	6	3	4
5	3	7	4	6	8	1	2	9
6	9	4	1	3	2	5	7	8
3	1	8	9	4	6	2	5	7
7	6	9	2	5	1	8	4	3
4	5	2	7	8	3	9	1	6

134

1	7	5	6	2	3	8	9	4
3	9	6	8	4	1	5	7	2
4	2	8	9	5	7	6	3	1
8	5	1	4	6	9	3	2	7
7	4	9	2	3	5	1	6	8
6	3	2	1	7	8	4	5	9
9	6	4	3	8	2	7	1	5
5	1	3	7	9	4	2	8	6
2	8	7	5	1	6	9	4	3

135

1	8	7	2	4	6	5	9	3
9	5	6	8	7	3	2	1	4
3	4	2	1	9	5	6	7	8
6	9	4	5	8	1	3	2	7
8	1	3	7	2	9	4	5	6
2	7	5	3	6	4	9	8	1
7	6	9	4	1	2	8	3	5
5	2	1	6	3	8	7	4	9
4	3	8	9	5	7	1	6	2

136

1	7	6	2	9	8	3	4	5
3	5	8	4	7	1	6	2	9
2	4	9	6	5	3	7	8	1
9	2	3	5	8	4	1	6	7
6	8	7	1	3	9	2	5	4
5	1	4	7	6	2	8	9	3
4	6	5	3	2	7	9	1	8
8	3	1	9	4	6	5	7	2
7	9	2	8	1	5	4	3	6

Solutions

137

7	2	9	3	6	4	1	8	5
8	6	3	1	5	7	4	9	2
5	1	4	8	9	2	3	7	6
9	7	6	5	8	1	2	3	4
2	3	1	7	4	9	6	5	8
4	8	5	6	2	3	9	1	7
1	5	2	9	7	6	8	4	3
6	9	7	4	3	8	5	2	1
3	4	8	2	1	5	7	6	9

138

5	3	4	9	6	8	2	1	7
9	1	7	2	5	3	4	6	8
6	8	2	4	1	7	5	9	3
2	5	3	6	4	9	8	7	1
7	9	6	8	2	1	3	4	5
8	4	1	3	7	5	9	2	6
4	7	5	1	8	2	6	3	9
3	6	8	7	9	4	1	5	2
1	2	9	5	3	6	7	8	4